D1281882

ISBN 13 : 978-2-215-08724-3

Dépôt légal à la date de parution.
Conforme à la loi n ° 49-956 du 16 juillet 1949
sur les publications destinées à la jeunesse.
Imprimé en Italie. (05/07)

Conception :
Emilie Beaumont
Texte :
Fabienne Blanchut
Images :
Camille Dubois

FLEURUS

GROUPE FLEURUS, 15-27, rue Moussorgski, 75018 PARIS
www.editionsfleurus.com

Jules traîne son doudou partout. Rester allongé sur le canapé, pour lui, c'est ça la tranquillité !

Mais quand il devient un Petit Ange Parfait, Jules est très occupé. Il aide Maman, rend service à Papa... Jusqu'au moment du coucher, il n'est jamais fatigué !

Lundi, mardi, jeudi et vendredi, Jules ne veut pas quitter son lit. Maman doit le secouer pour le réveiller.

Mais parfois, Jules est un Petit Ange Parfait ! Dès le matin, il est plein d'entrain. Maman a même droit à un bisou dans le cou !

Quand Jules a la flemme
de sortir un verre, il boit
l'eau au robinet. Maman
trouve ça très laid.

Mais parfois, Jules est un Petit
Ange Parfait ! Il prépare son
verre de grenadine avec une
paille et des glaçons...
Quel grand garçon !

Jules adore traîner en pyjama. Il ne faut pas le presser, surtout s'il n'a pas mangé.

Mais parfois, Jules est
un Petit Ange Parfait !
Sitôt levé, il est le
premier habillé. Un pied
hors du lit, et c'est parti…
Vive le mercredi !

Le jeu du Chat et de la Souris ?
Très peu pour lui... Jules n'aime pas
les jeux fatigants. Emma, tu joues
aux dominos avec moi ?

Mais parfois, Jules est un Petit Ange
Parfait ! Plein d'énergie,
il aime jouer dehors. Le foot,
la course, ça c'est du sport !

Après le dîner, plutôt que d'aider à débarrasser, Jules s'enferme aux cabinets.

Mais parfois, Jules est un Petit Ange Parfait !
Il aide Maman à mettre les assiettes dans
l'évier. Ce n'est pas si compliqué !

Comme Jules n'aime pas trop marcher, il trouve super pratique sa moto électrique ! Pas besoin de pédaler pour avancer.

Mais parfois, Jules est un Petit Ange Parfait ! Pour muscler ses gambettes, il fait du patin à roulettes.
C'est super chouette !

En revenant
des courses,
Jules fait
semblant
de dormir
pour que
Papa
le prenne
dans ses bras.

Mais parfois,
Jules est un
Petit Ange
Parfait ! Il aide
à porter les
commissions
jusqu'à la
maison.

Le soir, Jules n'a pas le courage de mettre ses vêtements au sale. Ils traînent au pied du lit jusqu'à ce que Maman pousse de hauts cris !

Mais parfois, Jules est un
Petit Ange Parfait ! Et hop !
Dans le panier à linge,
il dépose ses habits salis.

Mais quand il a reçu un paresseux
en peluche pour son anniversaire,
Jules a été un peu vexé.
Alors, pour ne pas lui ressembler,
il a bien changé. Paresser ? Lézarder ?
Pour lui, c'est terminé. Désormais,
Jules est un Petit Ange Parfait !